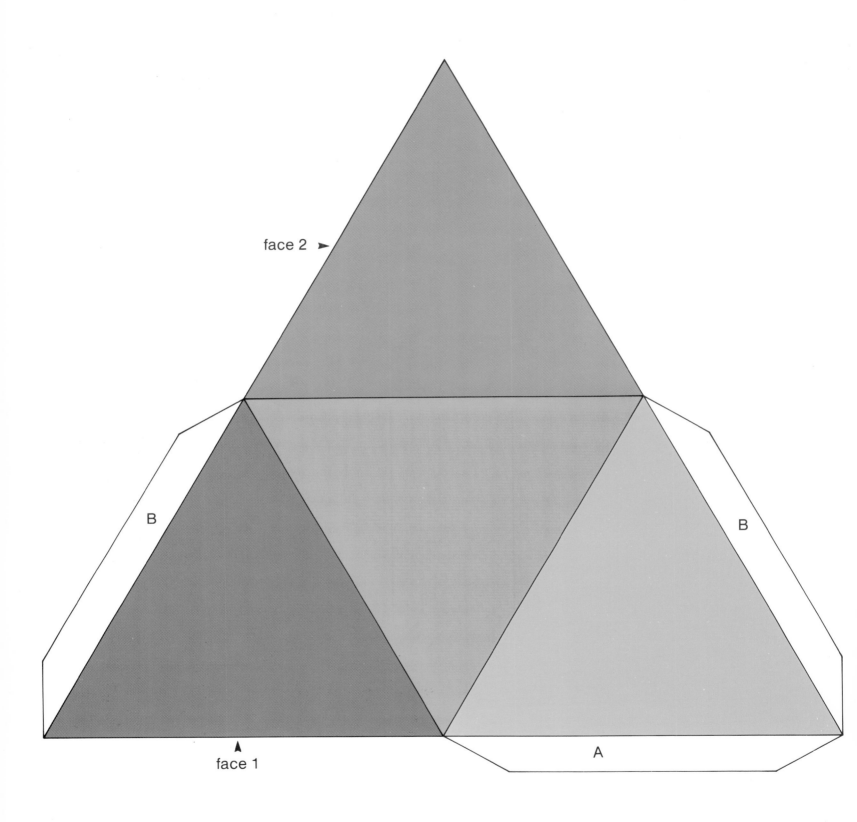

face 2 ➤

B

B

face 1

A

Tetrahedron

PLATE 1

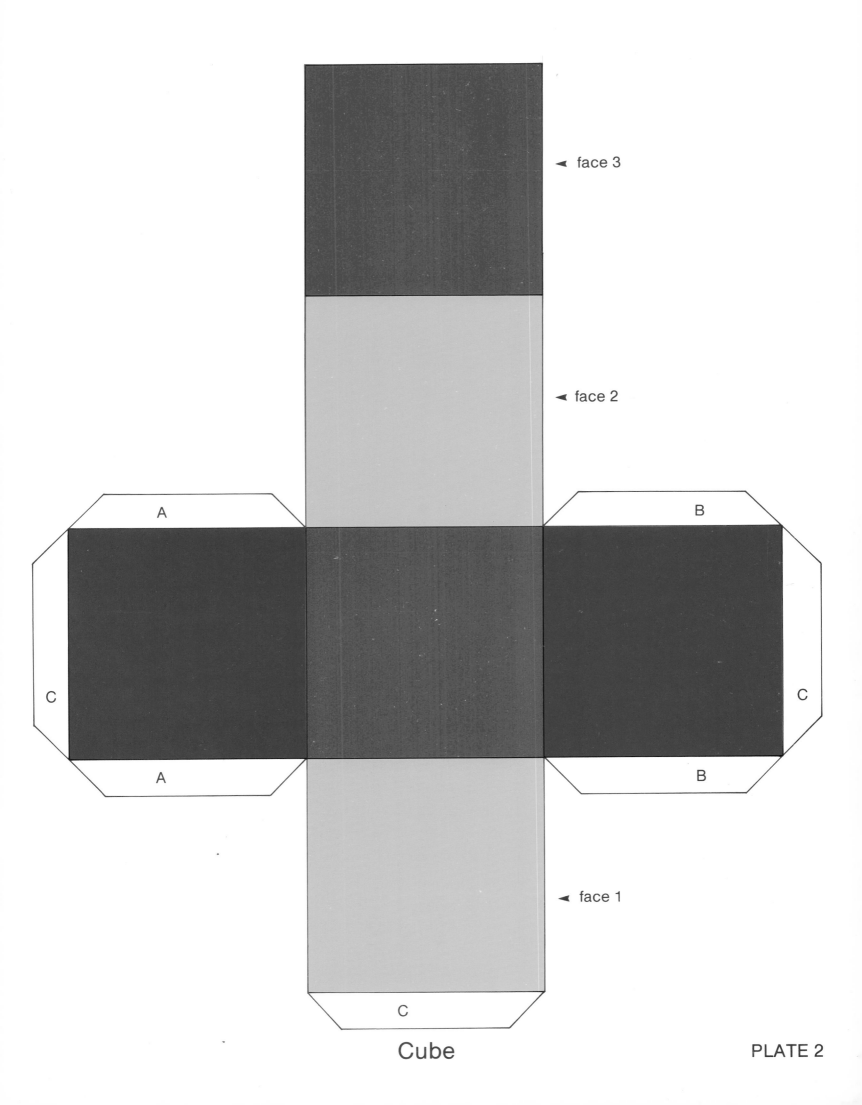

face 3

face 2

A

B

C

C

A

B

face 1

C

Cube

PLATE 2

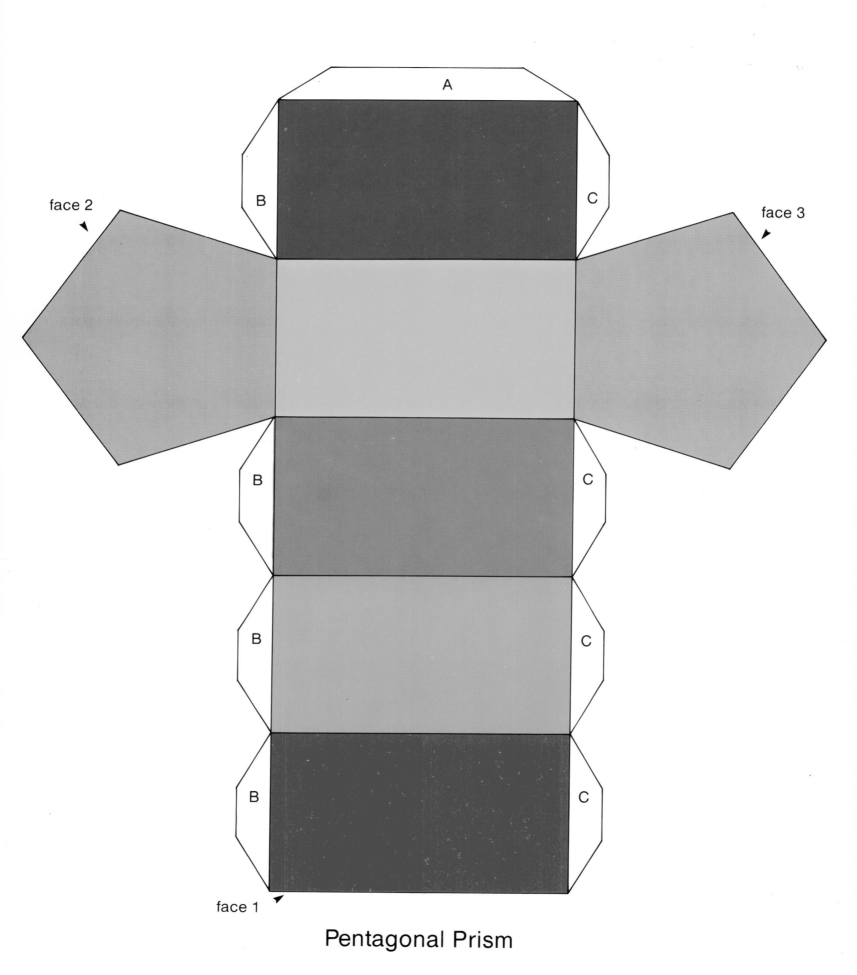

face 2

face 3

A

B

C

B

C

B

C

B

C

face 1

Pentagonal Prism

PLATE 3

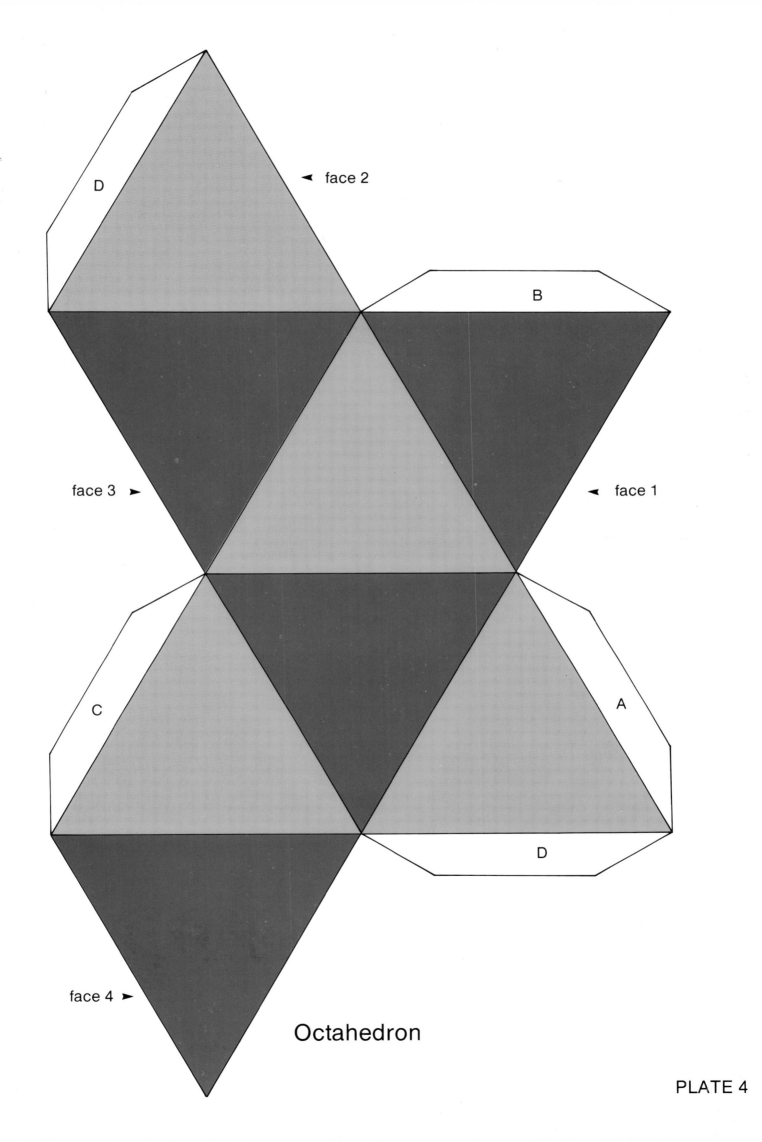

Octahedron

PLATE 4

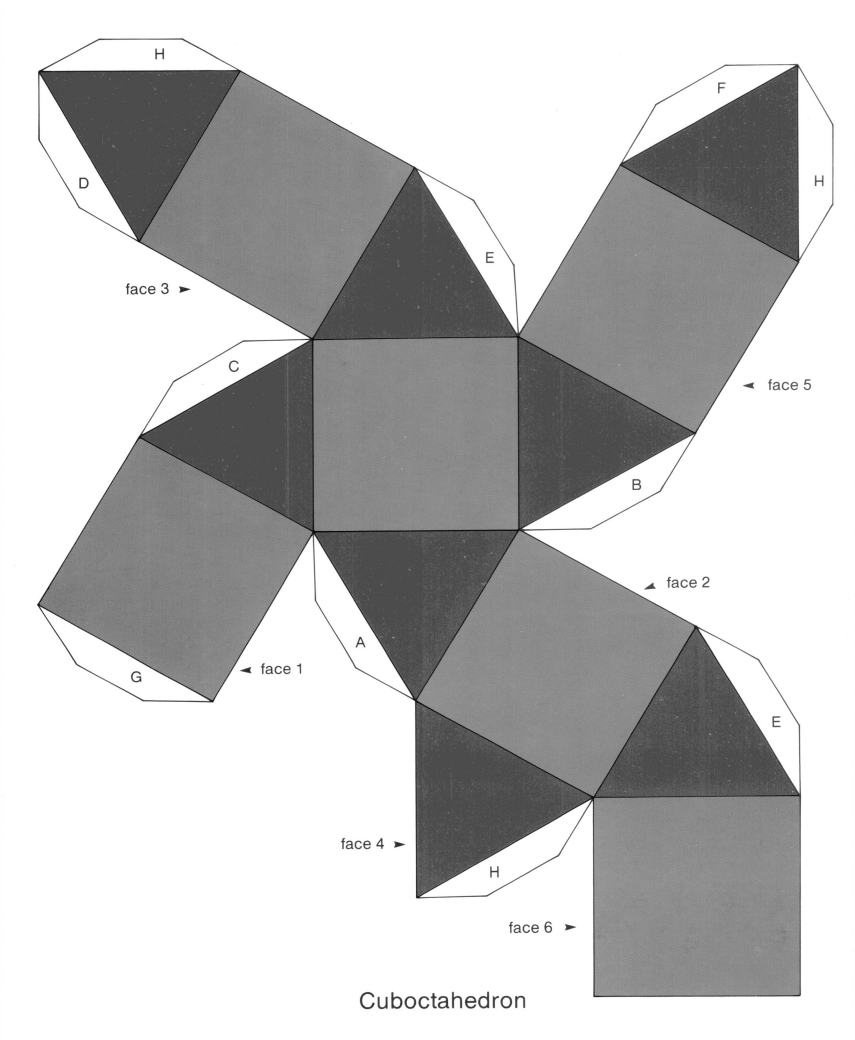

face 3 ►

◄ face 5

◄ face 2

face 1 ►

face 4 ►

face 6 ►

Cuboctahedron

PLATE 5

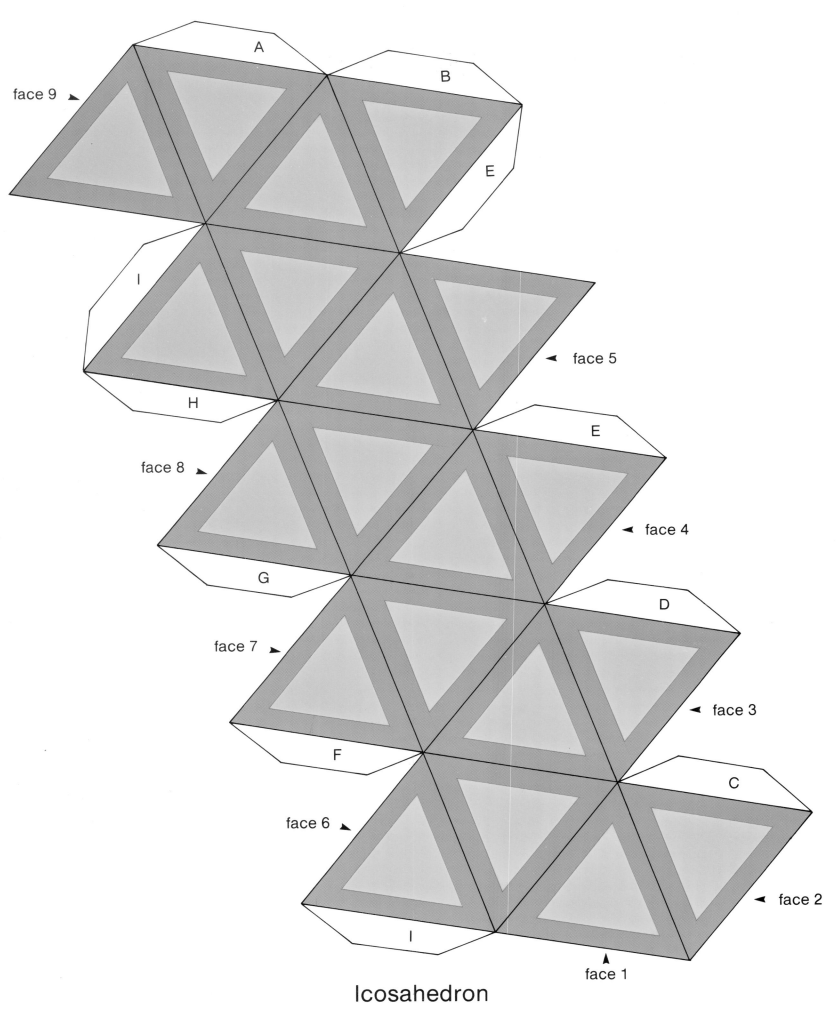

face 9 ►

A

B

E

I

face 5 ◄

H

E

face 8 ►

face 4 ◄

G

D

face 7 ►

face 3 ◄

F

C

face 6 ◄

face 2 ◄

I

face 1

Icosahedron

PLATE 6